新经典文化股份有限公司
www.readinglife.com
出　品

DUCK ON

By David

［美］大卫·香农 著

鸭子骑车记

A BIKE

Shannon

新星出版社 NEW STAR PRESS

彭懿译

有一天在农场里，鸭子冒出一个疯狂的主意。
"我打赌我会骑车！"他一摇一摆地走到
男孩停着的自行车旁，爬上去，骑了起来。
开始他骑得很慢，而且左摇右晃，但是很好玩！

鸭子骑过母牛身边，冲母牛招了招手。

"你好，母牛！"鸭子说。

"哞——"母牛应了一声。可她心里想：

"一只鸭子在骑车？这可是我见过的

最愚蠢的事！"

鸭子骑过绵羊身边。

"你好，绵羊！"鸭子说。

"咩——"绵羊应了一声。可她心里想：

"要是不小心，他会受伤的！"

现在，鸭子骑得好多了。

他骑过狗身边。

"你好，狗！"鸭子说。

"汪！"狗应了一声。可他心里想：

"这可是真功夫啊！"

鸭子骑过猫身边。

"你好，猫！"鸭子说。

"喵——"猫应了一声。可她心里想：

"我才不会浪费时间去骑车呢！"

鸭子蹬得快了一点。

他骑过马身边。

"你好，马！"鸭子说。

"嘶——"马应了一声。

可他心里想：

"你还是没我快，鸭子！"

鸭子一边按铃，一边朝母鸡骑过去。

"你好，母鸡！"鸭子说。

"咯！咯！"母鸡应了一声。可她心里想：

"你看着点路，鸭子！"

鸭子骑过山羊身边。

"你好，山羊！"鸭子说。

"咩——"山羊应了一声。可他心里想：

"我真想吃那辆车子！"

鸭子单脚站到车座上，
骑过猪和猪身边。
"你好，猪！"鸭子说。
"呼噜——"猪和猪应了一声。
可他们心里想：
"鸭子真爱出风头！"

鸭子撒开车把，骑过老鼠身边。

"你好，老鼠！"鸭子说。

"吱——"老鼠应了一声。可他心里想：

"我真想像鸭子那样骑车。"

突然，一大群
孩子骑着自行车冲
下路来。他们骑得特别快，
谁也没有看到鸭子。
他们把车停在门
前，就进屋去了。

现在，所有动物都有自行车骑了！他们在谷
仓旁的空地上骑来骑去。"真好玩！"
他们异口同声地说，"鸭子，
你的主意真棒！"

他们把自行车放回屋旁。没有人知道，那天下午，曾经
有一头母牛、一只绵羊、一只狗、一只猫、
一匹马、一只母鸡、一只山羊、两头猪、
一只老鼠和一只鸭子骑过自行车。

THE

END

图书在版编目 (CIP) 数据

鸭子骑车记 ／ (美) 香农著；彭懿译. —— 北京：
新星出版社，2017.4 (2020.9 重印)
ISBN 978-7-5133-1367-4

Ⅰ. ①鸭… Ⅱ. ①香…②彭… Ⅲ. ①儿童文学－图
画故事－美国－现代 Ⅳ. ① I712.85

中国版本图书馆 CIP 数据核字 (2013) 第 293361 号

著作权合同登记图字：01-2013-6643
DUCK ON A BIKE
Copyright © 2002 by David Shannon
Published by arrangement with Scholastic Inc.
Simplified Chinese translation rights arranged with Bardon Chinese Media Agency
ALL RIGHTS RESERVED

鸭子骑车记

（美）大卫·香农 著

彭懿 译

责任编辑　汪　欣
特约编辑　黄　锐
责任印制　廖　龙
装帧设计　徐　蕊
内文制作　杨兴艳

出　　版　新星出版社　www.newstarpress.com
出 版 人　马汝军
社　　址　北京市西城区车公庄大街内 3 号楼　　邮编 100044
　　　　　电话 (010)88310888　　传真 (010)65270449
发　　行　新经典发行有限公司
　　　　　电话 (010)68423599　　邮箱 editor@readinglife.com

印　　刷　鹤山雅图仕印刷有限公司
开　　本　889毫米×1194毫米　1/16
印　　张　2.5
字　　数　5千字
版　　次　2017年4月第1版
印　　次　2020年9月第23次印刷
书　　号　ISBN 978-7-5133-1367-4
定　　价　39.80元